하루 한 장 60일 집중 완성

고 과도형

초1

A3

규칙 찾기

에듀히어로
Edu HERO

"진짜 히어로는 우리 아이들입니다!"

에듀히어로는
우리 아이들이 밝고 건강한 내일을 꿈꿀 수 있도록
긍정적이고 효과적인 교육 서비스를 제공하는 것을
최우선 목표로 하고 있습니다.

그 존재만으로도 든든한 히어로처럼 아이들의 곁에서 힘이 되어주고,
나아가 아이들 각자가 스스로의 인생 속 히어로가 될 수 있도록

우리는 진심과 열정을 다해 아이들과 함께 할 것을 약속 드립니다.

네이버 카페

교재 상세 소개와 진단 테스트
및 유용하게 풀 수 있는
학습 자료를 다운로드 해 보세요.

인스타그램

에듀히어로 인스타그램을
팔로우하시면 다양한 이벤트와
신간 소식을 빠르게 만나보실
수 있습니다.

카카오톡 채널

자녀 수학 공부 상담 및
자유로운 질문을 남겨 주세요.
함께 고민하고
답변해 드리겠습니다.

히어로컨텐츠 HEROCONTENS

발행일: 2023년 1월   **발행인:** 이예찬

기획개발: 두줄수학연구소

디자인: 4BD STUDIO   **삽화:** 1000DAY

발행처: 히어로컨텐츠

주소: 서울특별시 금천구 서부샛길 632, 7층(대륭테크노타운5차)

전화: 02-862-2220   **팩스:** 02-862-2227

지원카페: cafe.naver.com/eduherocafe   **인스타그램:** @edu__hero

하루 한 장 60일 집중 완성 교과도형은 ·······································

달라진 교과서와 학교 수업 진도에 맞추어 학습자가 체계적으로 도형을 학습할 수 있도록 안내합니다.

이전의 도형 학습이 도형의 정의와 성질을 외우고, 도형의 측정결과를 계산하는 '결과' 중심의 학습이었다면 지금의 도형 학습은 공간에 대한 이해와 해석(공간감각)을 바탕으로 모양을 인식하고 변화를 유추하고 다양한 방법으로 도형을 측정하고 그 결과를 표현하는 '과정' 중심의 학습입니다.

교과도형은 수학교육의 변화와 핵심을 이해하고 올바른 방향을 제시해 주는 든든한 길잡이가 될 것입니다.

하루 한 장 60일 집중 완성 교과도형은 ·······································

① 공간감각 ② 도형표현 ③ 도형측정을 중심으로 교과서에서 다루는 모든 도형을 체계적으로 학습합니다.

공간감각
도형을 효과적으로 학습하기 위해서는 공간을 이해하고 해석하는 능력, 즉 '공간감각'이 필요합니다.

공간감각은 경험과 상상력을 바탕으로 머릿속에서 도형을 조작하고 결과를 유추하는 능력입니다. 공간감각은 단시간에 길러지지 않으므로 어릴 때부터 꾸준하게 학습하고 구체적인 경험을 쌓는 것이 중요합니다.

'교과도형'의 각 권 마지막에 있는 '도형플러스'는 각 권의 학습목표와 연계하여 공간감각을 한 단계 더 높여줄 수 있는 내용으로 구성하였습니다.

도형표현
공간에 존재하는 도형은 표현되었을 때 더 큰 의미를 가집니다.

- 삼각형을 찾는 것에서 그치지 않고 다양한 삼각형을 직접 그려 보고 왜 삼각형인지 설명하는 것
- 쌓기나무로 만든 모양을 위치와 방향을 이용하여 설명하는 것
- 도형을 여러 가지 기준과 특징에 따라 분류하고 왜 그렇게 분류했는지 설명하는 것
- 도형을 위·앞·옆에서 바라보고 그 모습을 그림으로 표현하는 것 등이 모두 '도형표현'입니다.

'교과도형'은 도형과 관련한 작은 그림에서부터 서술형 문장제까지 도형을 표현하는 다양한 방법을 효과적으로 학습합니다.

도형측정
측정은 도형과 아주 밀접한 관계가 있으므로 도형을 학습하면서 반드시 함께 다루어야 하는 영역입니다.

길이, 각도, 둘레, 넓이, 부피 등 흔히 '도형' 영역이라 생각하는 것이 사실 초등 교육과정에서는 '측정' 영역에 해당합니다. 사각형을 학습하는 것은 도형이지만 사각형의 둘레와 넓이를 구하는 것은 측정입니다. 각의 종류를 학습하는 것은 도형이지만 각도를 재는 것은 측정입니다. 이처럼 길이, 각도, 둘레, 넓이, 부피 등은 결국 도형을 측정하는 것입니다.

'교과도형'은 교과서의 모든 '도형' 영역을 다루었습니다. 여기에 도형과 반드시 연계하여 학습해야 하는 '측정' 영역을 추가로 다루어 더욱 완성된 도형 학습을 할 수 있도록 도와줍니다.

하루 한 장 60일 집중 완성 교과도형은 ·······················

7세부터 6학년까지 총 7단계 21권(단계별 3권)으로 구성되어 있으며 각 권은 매일 한 장씩 4주간 체계적으로 학습할 수 있습니다.

1권, 20일

2권, 20일

3권, 20일

대 상	단 계	구 성
7세 ~ 1학년	P	P1, P2, P3
1학년	A	A1, A2, A3
2학년	B	B1, B2, B3
3학년	C	C1, C2, C3
4학년	D	D1, D2, D3
5학년	E	E1, E2, E3
6학년	F	F1, F2, F3

교과도형의 각 단계는 1, 2, 3권을 차례대로 학습합니다.

교과도형, 한 권이면 충분합니다

교과도형은 공간감각, 도형표현, 도형측정을 중심으로 교과서에서 다루는 모든 도형을 학습하고,
공간감각 향상을 위한 '도형플러스'와 학습 결과를 확인하는 '형성평가'를 제공합니다.

1 주차별 학습

공간감각

도형 학습의 바탕이 되는
공간감각을 길러줍니다.

도형표현

다양한 그림과 문장제로
도형을 표현하는 방법을
배웁니다.

도형측정

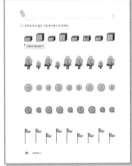

도형 학습에 필수적인 측정
을 도형과 연계하여 학습합
니다.

[체크 박스]
문제를 해결하는 데 도움이
되는 정보를 제공합니다.

[개념 포인트]
학습할 때 꼭 필요한 기본
개념을 설명합니다.

2 도형플러스

각 권의 학습 주제와
연계하여 공간감각을
더욱 향상시킵니다.

3 형성평가

학습한 내용을 다시 한 번
복습하고 정리합니다.

이 책의
차례

반복되는 부분을 찾아 선으로 묶어 보세요.

모양 규칙

모양이 반복되는 규칙을 찾아봅니다.

       농구공 - 축구공이 반복됩니다.

   ⬤-⬤-▲ 모양이 반복됩니다.
⬤ 모양 **2**개와 ▲ 모양 **1**개가 반복됩니다.

4 반복되는 부분을 찾아 선으로 묶어 보세요.

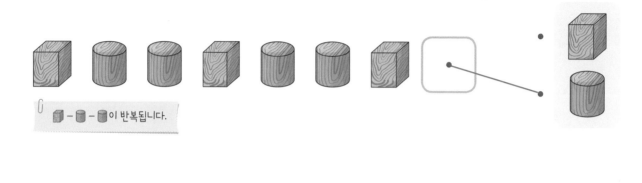

42일 마지막 모양

규칙에 따라 빈 곳에 들어갈 그림을 찾아 이어 보세요.

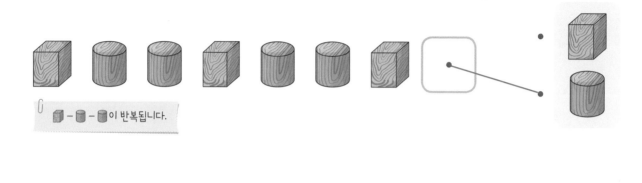

■ – ■ – ■ 이 반복됩니다.

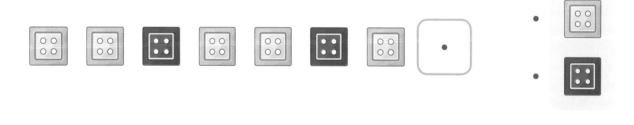

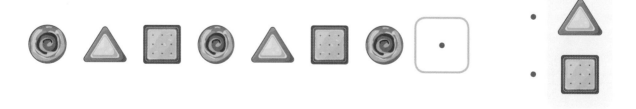

🔢 규칙에 따라 빈칸에 알맞은 모양을 그려 보세요.

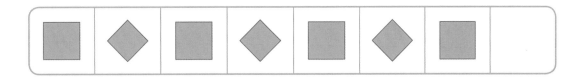

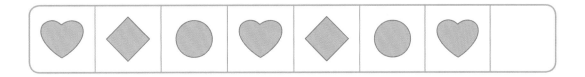

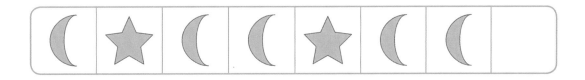

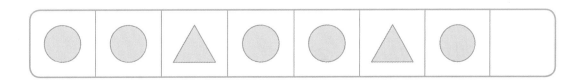

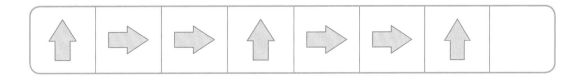

규칙 완성하기

규칙에 따라 알맞게 이어 보세요.

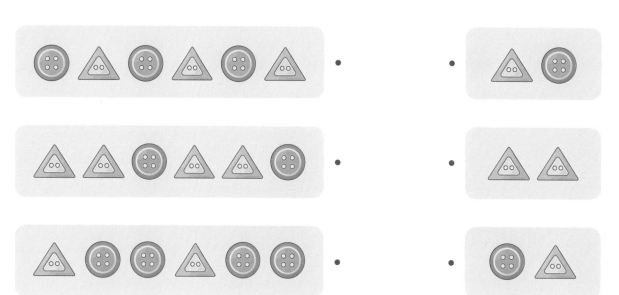

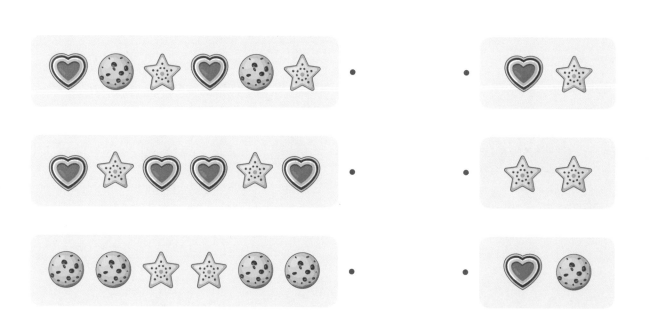

규칙에 따라 빈칸에 알맞은 모양을 그려 보세요.

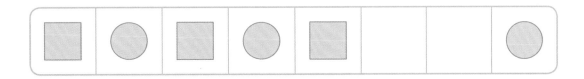

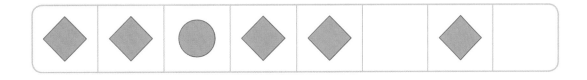

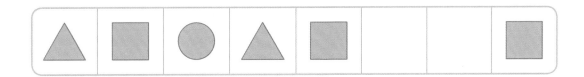

주어진 모양이 반복되도록 미로를 빠져나가 보세요.

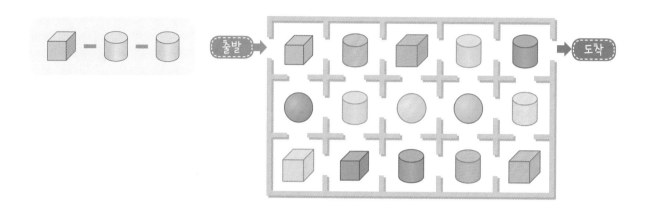

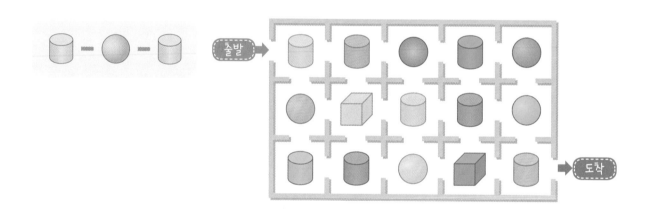

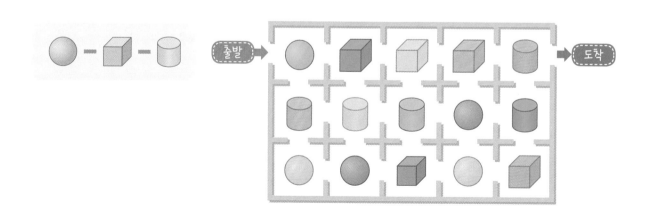

🎈 미로를 빠져나가고, 미로를 빠져나가는 길에 있는 반복되는 모양을 그려 보세요.

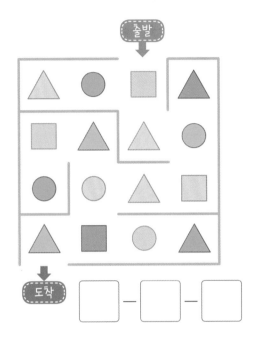

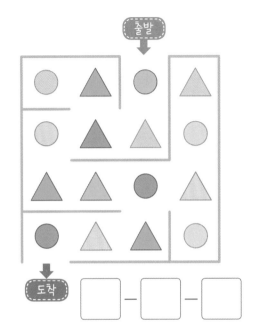

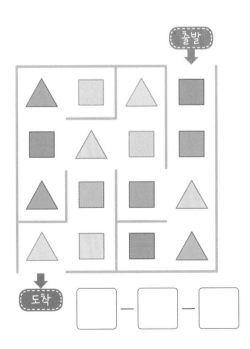

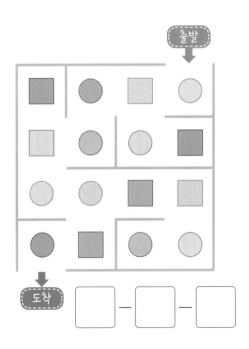

빈칸에 알맞은 말을 써넣으세요.

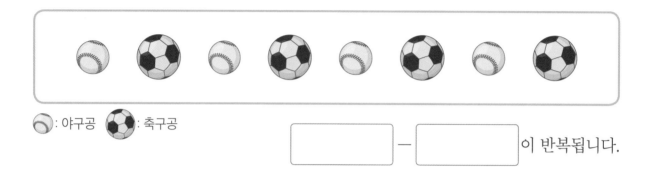

◯ : 야구공　⬤ : 축구공

[　　　] – [　　　] 이 반복됩니다.

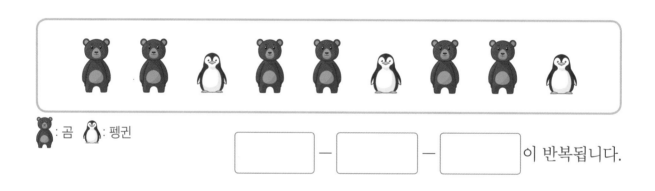

🐻 : 곰　🐧 : 펭귄

[　　　] – [　　　] – [　　　] 이 반복됩니다.

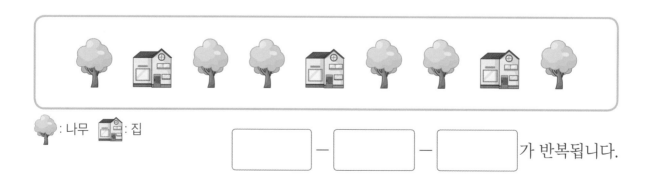

🌳 : 나무　🏠 : 집

[　　　] – [　　　] – [　　　] 가 반복됩니다.

11 빈칸에 알맞은 수를 써넣으세요.

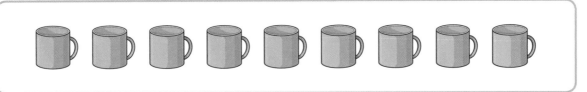

파란색 컵 ☐ 개와 연두색 컵 ☐ 개가 반복됩니다.

농구공 ☐ 개와 배구공 ☐ 개가 반복됩니다.

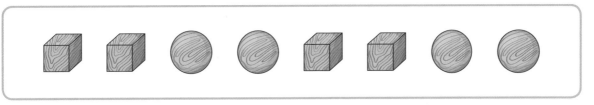

◻ 모양 ☐ 개와 ◯ 모양 ☐ 개가 반복됩니다.

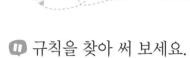

나 규칙을 찾아 써 보세요.

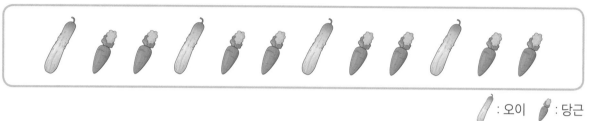

: 오이　: 당근

규칙

_____

: 사과　: 수박

규칙

_____

: 풀　: 지우개

규칙

_____

2주차
46~50일

비교 규칙

46일 반복되는 부분

⑪ 반복되는 부분을 찾아 선으로 묶어 보세요.

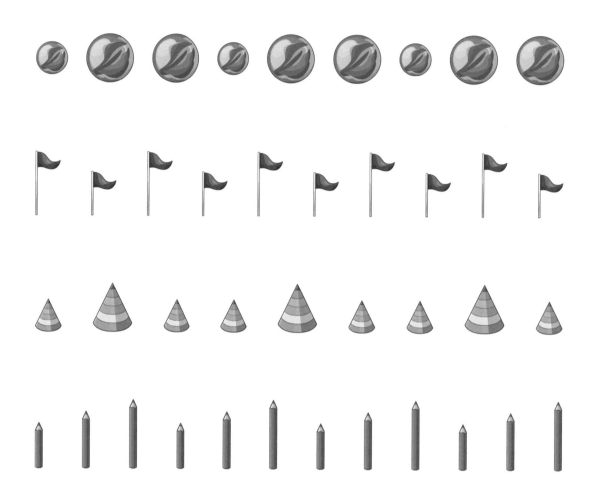

비교 규칙

크기 또는 길이가 반복되는 규칙을 찾아봅니다.

 큰 나무 - 작은 나무가 반복됩니다.

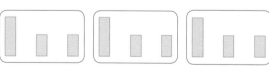 긴 막대 - 짧은 막대 - 짧은 막대가 반복됩니다.
긴 막대 I개와 짧은 막대 2개가 반복됩니다.

반복되는 부분을 찾아 선으로 묶어 보세요.

길이 규칙

규칙에 따라 빈 곳에 들어갈 그림을 찾아 이어 보세요.

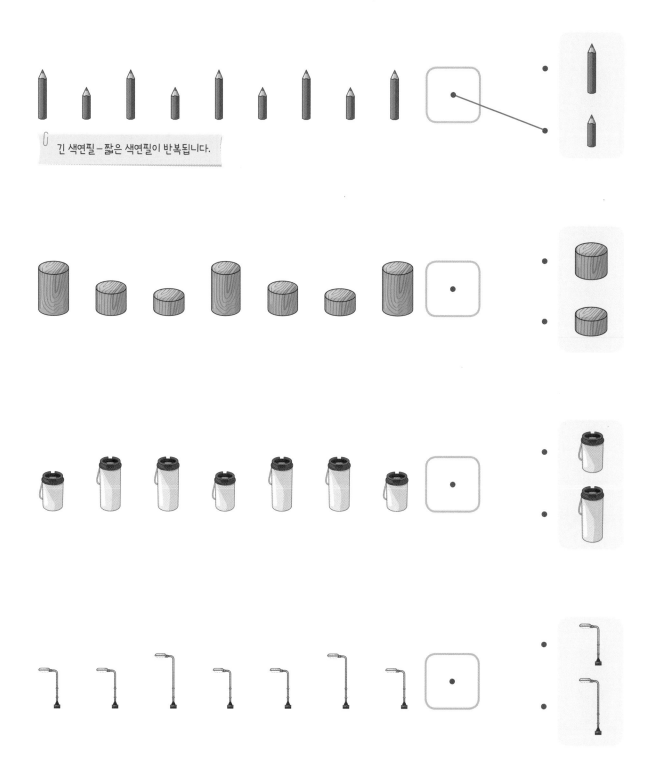

긴 색연필 – 짧은 색연필이 반복됩니다.

규칙에 따라 알맞게 색칠해 보세요.

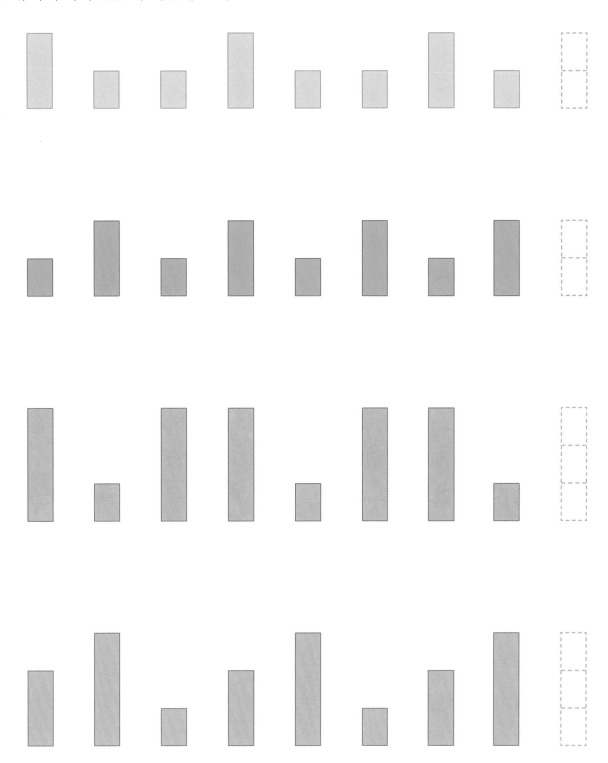

규칙에 따라 빈 곳에 들어갈 그림을 찾아 이어 보세요.

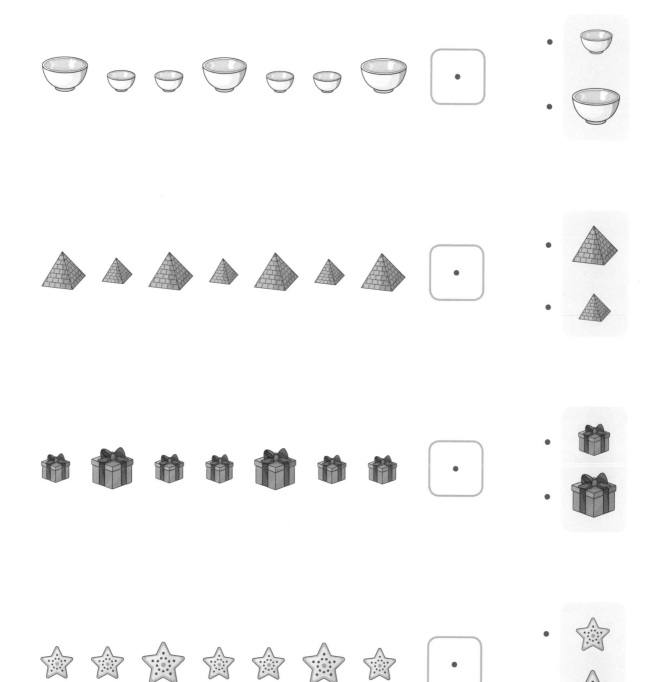

11 규칙에 따라 알맞게 색칠해 보세요.

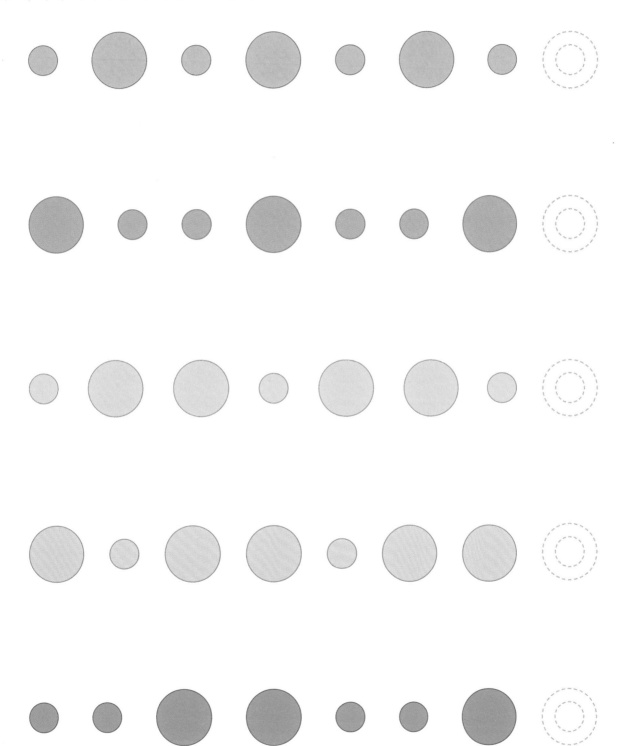

규칙 말하기

🔊 빈칸에 알맞은 말을 써넣으세요.

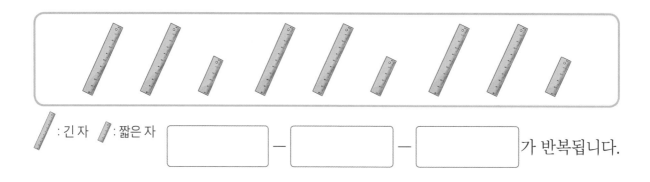

📏:긴 자　📏:짧은 자　□ － □ － □ 가 반복됩니다.

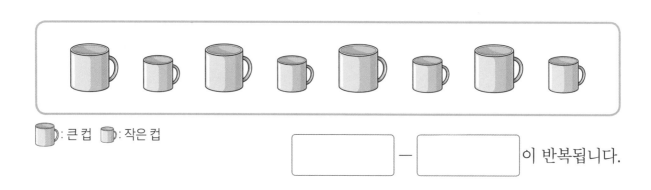

🥛:큰 컵　🥛:작은 컵　□ － □ 이 반복됩니다.

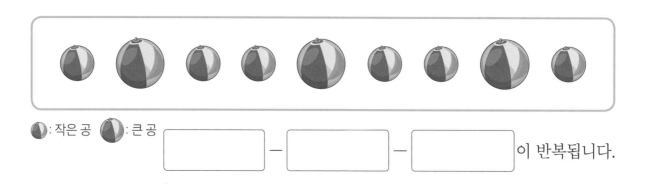

⚫:작은 공　⚫:큰 공　□ － □ － □ 이 반복됩니다.

11 빈칸에 알맞은 수를 써넣으세요.

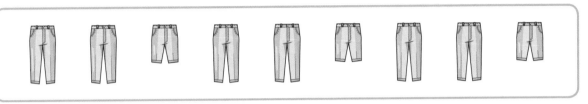

긴 바지 ☐ 개와 짧은 바지 ☐ 개가 반복됩니다.

긴 못 ☐ 개와 짧은 못 ☐ 개가 반복됩니다.

큰 나무 ☐ 그루와 작은 나무 ☐ 그루가 반복됩니다.

주어진 부분이 반복되도록 색칠하여 규칙을 완성해 보세요.

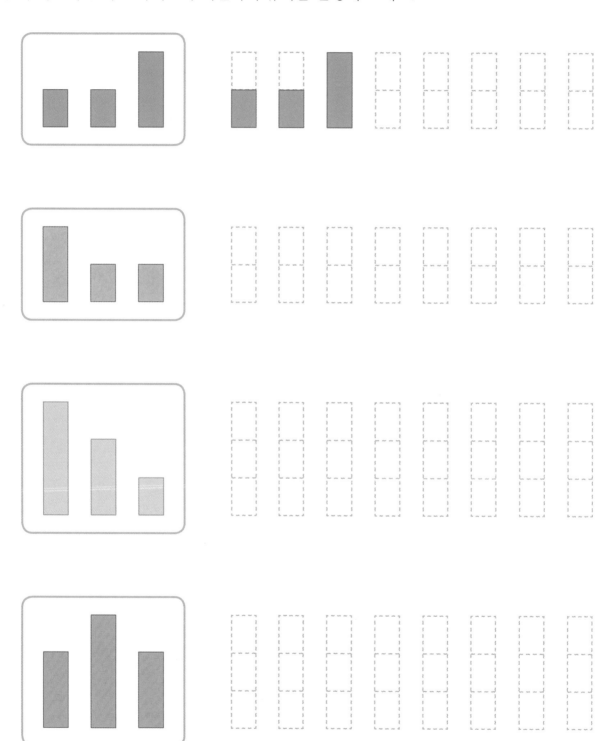

주어진 부분이 반복되도록 색칠하여 규칙을 완성해 보세요.

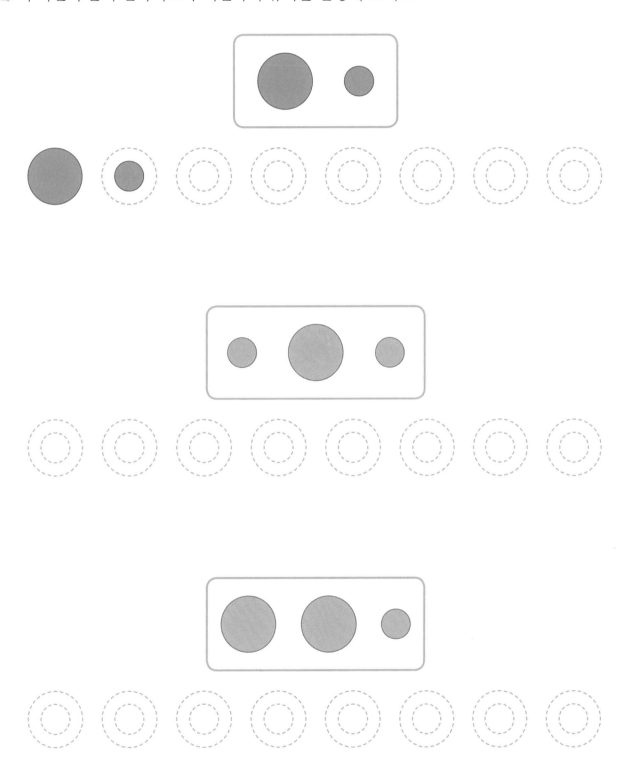

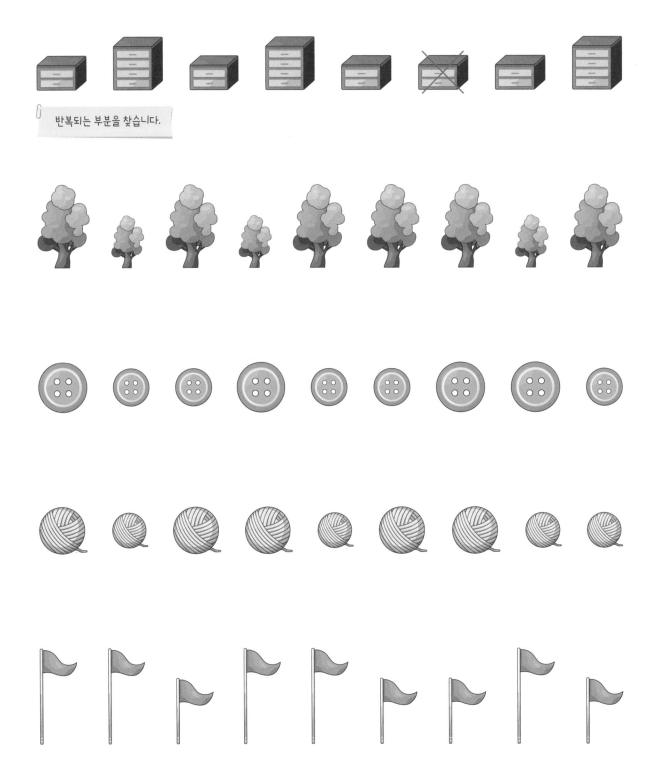

규칙에 맞지 않는 그림 하나에 ✕표 하세요.

반복되는 부분을 찾습니다.

3주차
51~55일

규칙 나타내기

모양으로 나타내기

⏸ 규칙에 따라 빈칸에 알맞은 모양을 그려 보세요.

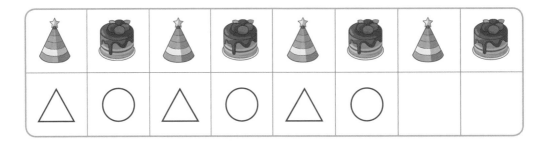

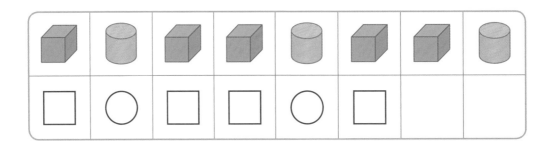

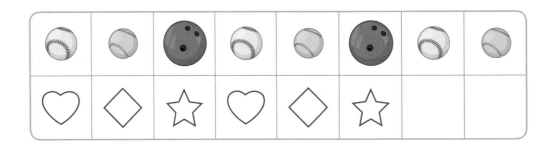

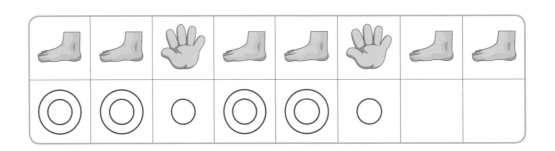

규칙에 따라 빈칸에 알맞은 모양을 그려 보세요.

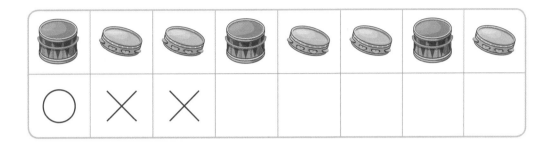

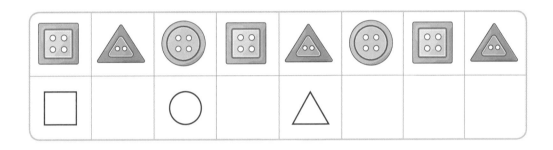

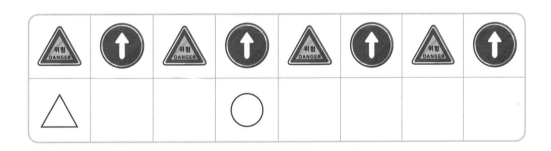

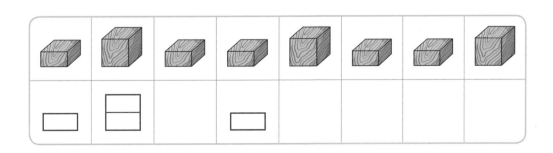

수로 나타내기

규칙에 따라 빈칸에 알맞은 수를 써넣으세요.

2	2	0	2	2			

4	3	2	4	3			

4	2	2	4	2			

1	3	5	1	3			

🎵 규칙에 따라 빈칸에 알맞은 모양을 그리고, 수를 써넣으세요.

▲	▲	■	▲	▲	■		
3	3	4		4	3	3	

★	◆	◆	★	◆	◆		
5	4	4		4		5	

○	●	○	●	○			●
l	2	l		l	2		2

⚁	⚀	⚀	⚁		⚀	
2	l	l		l		2

여러 가지 규칙 (1)

⏸ 규칙에 따라 빈 곳에 시곗바늘을 그려 보세요.

🗨 규칙에 따라 알맞은 위치에 ○를 그리고, 알맞은 글자를 써넣으세요.

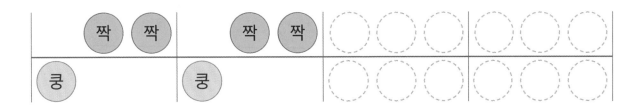

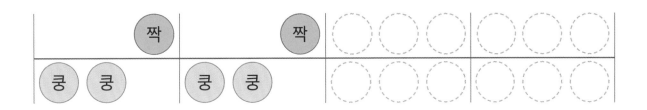

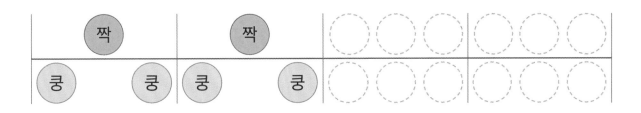

54일 여러 가지 규칙 (2)

💬 물음에 답하세요.

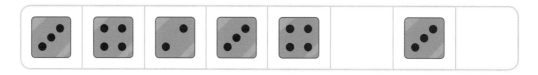

규칙에 따라 빈칸에 들어갈 주사위 눈의 수는 모두 몇 개일까요?

(   )개

규칙에 따라 빈칸에 들어갈 펼친 손가락은 모두 몇 개일까요?

(   )개

🗨 물음에 답하세요.

규칙에 따라 수로 나타냅니다. 빈칸에 들어갈 두 수를 더하면 얼마일까요?

2	4		4	2		2	4

(   )

규칙에 따라 수로 나타냅니다. 빈칸에 들어갈 두 수를 더하면 얼마일까요?

3	4	3	3		3		4

(   )

🗨 규칙에 따라 10번째 모양까지 그려 보세요.

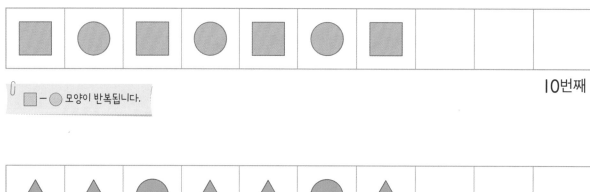

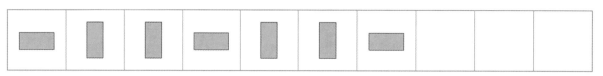

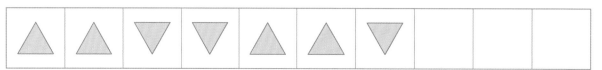

🎤 물음에 답하세요.

규칙에 따라 깃발을 늘어놓습니다. 10번째에 놓이는 깃발에 ◯표 하세요.

10번째까지 깃발의 색깔을 써 봅니다.

규칙에 따라 공을 늘어놓습니다. 10번째에 놓이는 공에 ◯표 하세요.

물음에 답하세요.

> 규칙에 따라 바둑돌을 모두 10개 늘어놓으면 흰 바둑돌과 검은 바둑돌은 각각
> 몇 개 놓일까요?

      ......

흰 바둑돌: ☐ 개, 검은 바둑돌: ☐ 개

> 규칙에 따라 모양을 모두 10개 늘어놓으면 ⬜ 모양은 몇 개 놓일
> 까요?

      ......

⬜ 모양: ☐ 개

4주차
56~60일

무늬 규칙

규칙에 따라 점을 이어 보세요.

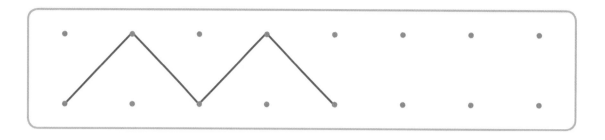

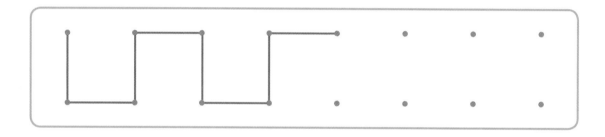

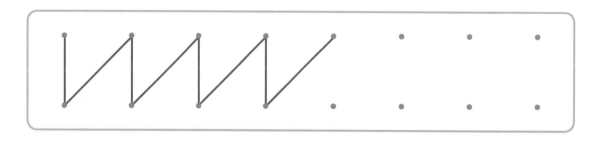

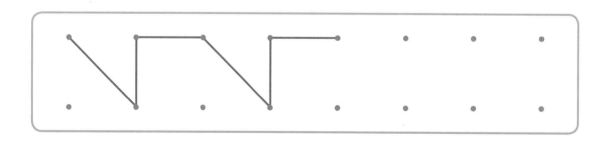

규칙에 따라 점을 이어 보세요.

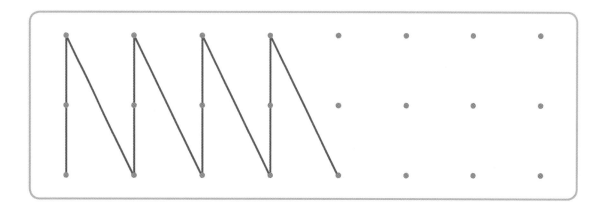

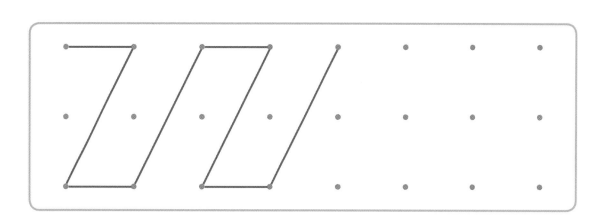

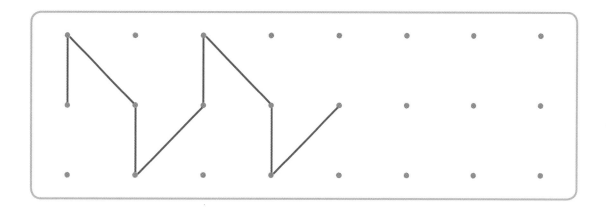

선 긋기

💬 규칙에 따라 선을 그어 보세요.

규칙에 따라 선을 그어 보세요.

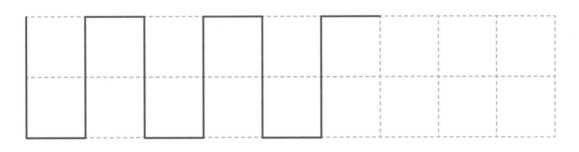

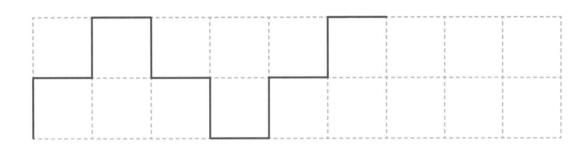

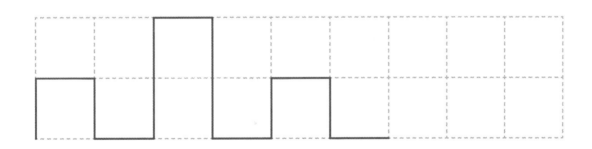

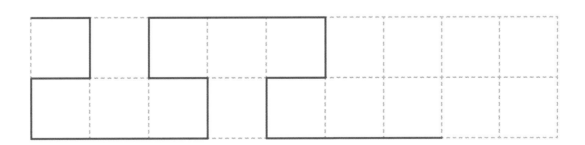

색깔 무늬 규칙

규칙에 따라 알맞은 색깔을 칠해 보세요.

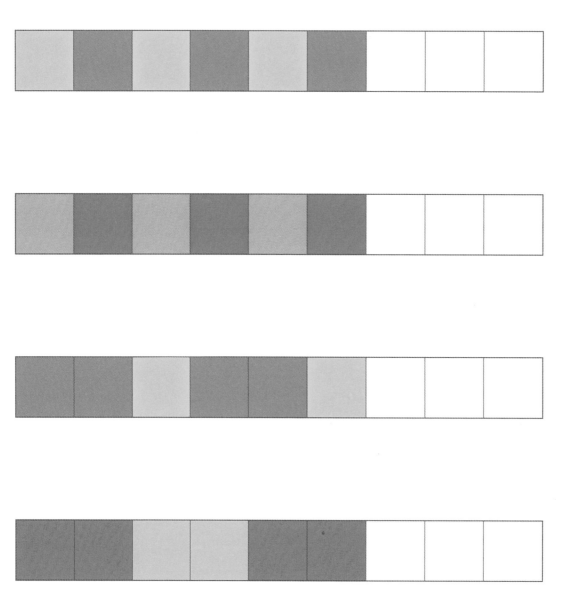

① 규칙에 따라 알맞은 색깔을 칠해 보세요.

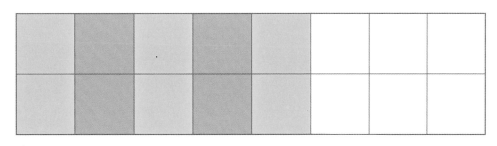

첫째 줄과 둘째 줄 모두 노란색 — 초록색이 반복됩니다.

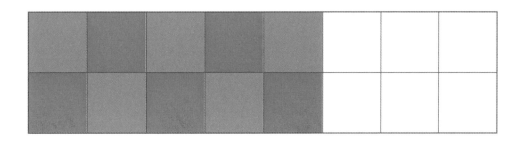

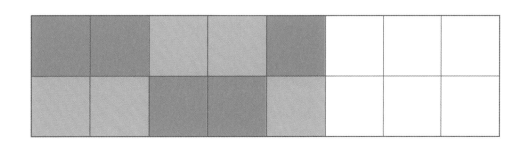

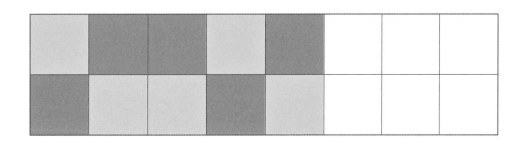

모양 무늬 규칙

🔟 규칙에 따라 빈칸에 알맞은 모양을 그려 보세요.

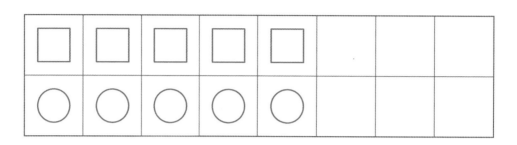

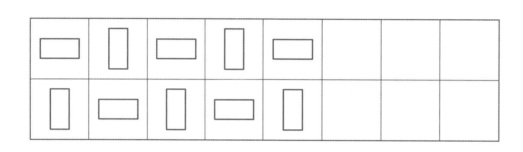

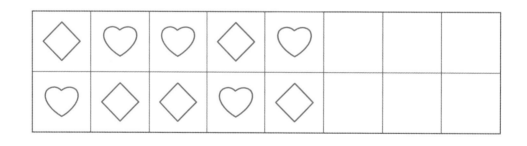

규칙에 따라 빈칸에 알맞은 모양을 그리고, 알맞은 색깔을 칠해 보세요.

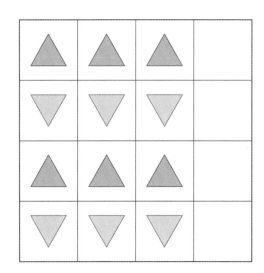

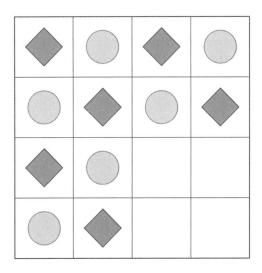

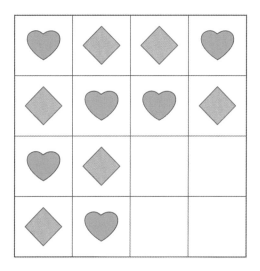

무늬 꾸미기

규칙에 따라 알맞게 색칠해 보세요.

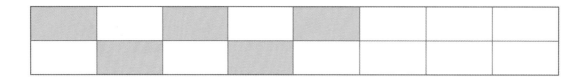

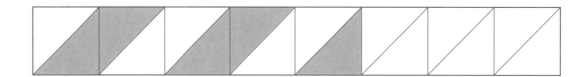

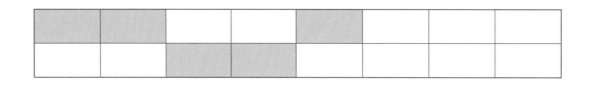

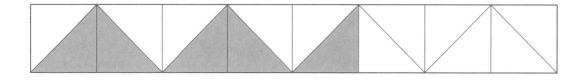

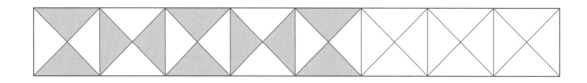

규칙에 따라 무늬를 그리고, 색칠해 보세요.

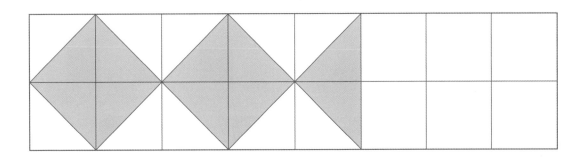

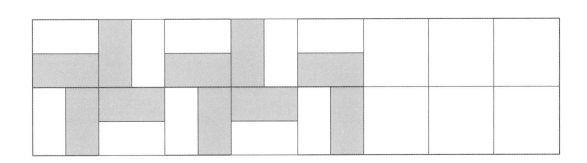

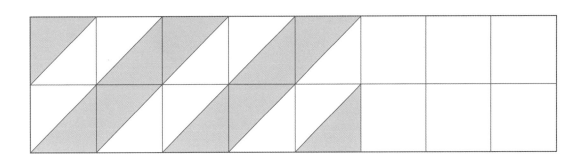

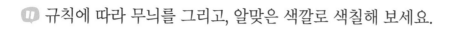

규칙에 따라 무늬를 그리고, 알맞은 색깔로 색칠해 보세요.

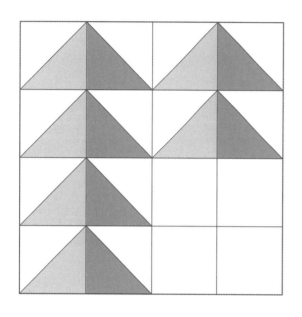

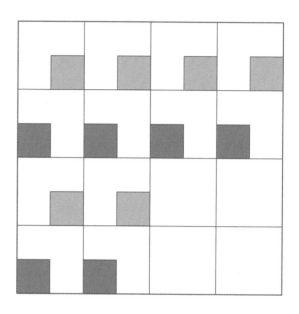

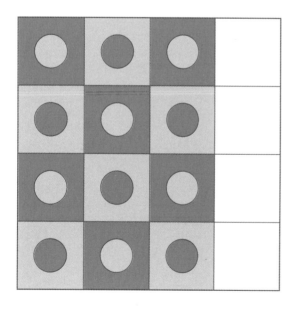

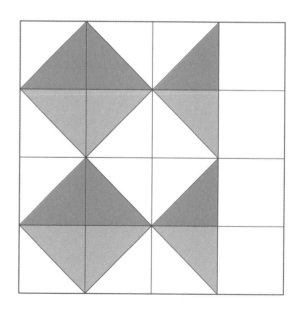

도형 플러스+

- 증감 규칙 -

▶ 빈칸에 알맞은 수를 써넣고, 알맞은 말에 ○표 하세요.

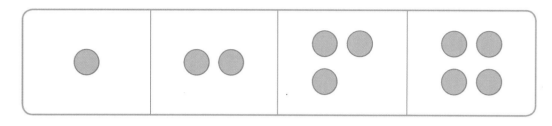

☐ 개씩 (늘어납니다 , 줄어듭니다).

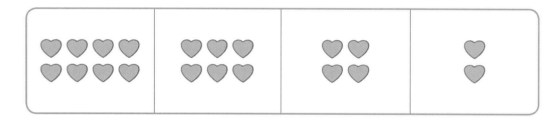

☐ 개씩 (늘어납니다 , 줄어듭니다).

☐ 개씩 (늘어납니다 , 줄어듭니다).

▶ 빈칸에 알맞은 수만큼의 모양을 그려 보세요.

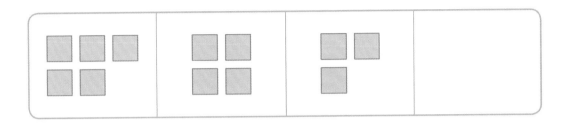

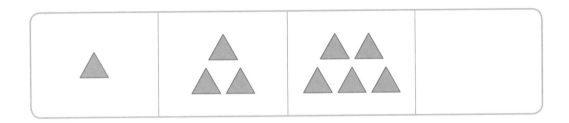

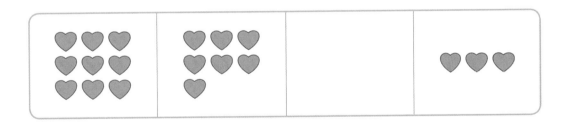

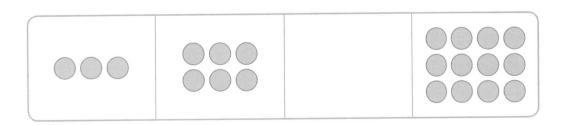

모양이 커지는 규칙

▶ 규칙에 따라 빈 곳에 알맞은 모양을 그려 보세요.

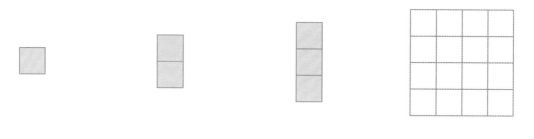

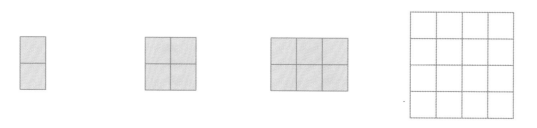

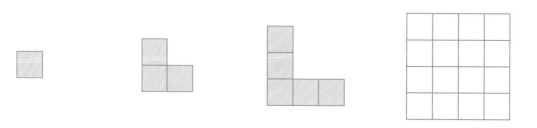

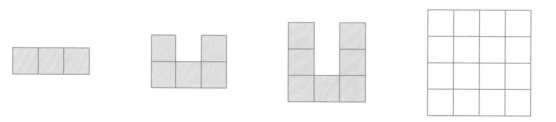

규칙에 따라 빈 곳에 알맞은 모양을 그려 보세요.

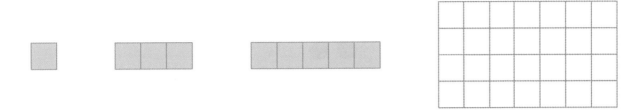

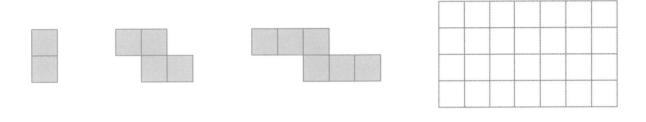

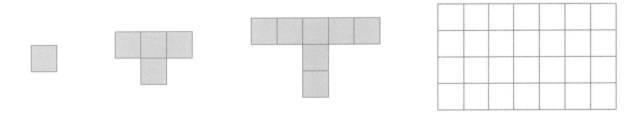

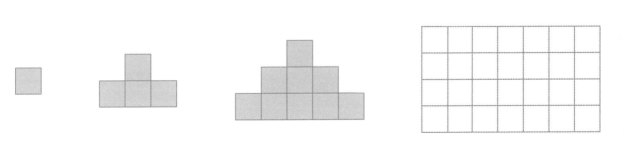

바둑돌 규칙

규칙에 따라 빈 곳에 바둑돌을 그리고, 그린 바둑돌의 개수를 세어 보세요.

개

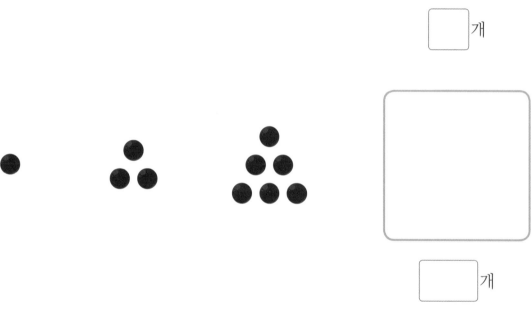

개

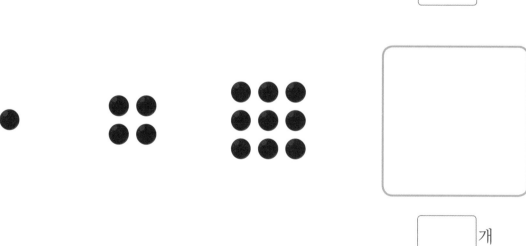

개

▶ 물음에 답하세요.

규칙에 따라 **4**번째 모양을 만드는 데 필요한 바둑돌은 몇 개일까요?

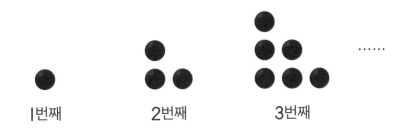

|번째   2번째   3번째

(   )개

규칙에 따라 **4**번째 모양을 만드는 데 필요한 바둑돌은 몇 개일까요?

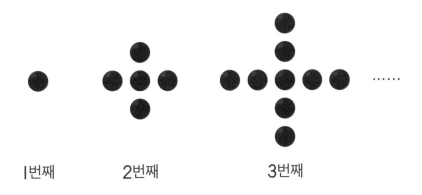

|번째   2번째   3번째

(   )개

memo

형성평가

1 규칙에 따라 빈칸에 들어갈 그림에 ○표 하세요.

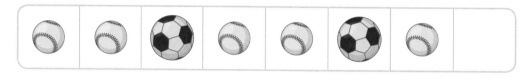

2 규칙에 따라 빈칸에 알맞게 색칠해 보세요.

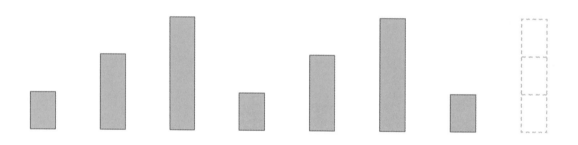

3 빈칸에 알맞은 수를 써넣으세요.

큰 나무 ☐ 그루와 작은 나무 ☐ 그루가 반복됩니다.

4 규칙에 따라 색칠해 보세요.

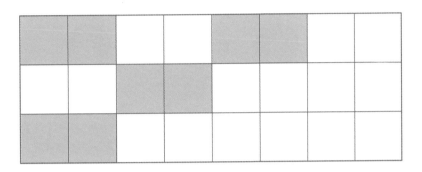

5 규칙에 따라 빈 곳에 시곗바늘을 그리고, 몇 시인지 써 보세요.

( )시

6 규칙에 따라 빈칸에 들어갈 펼친 손가락은 모두 몇 개일까요?

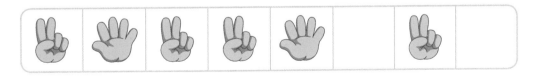

( )개

1 규칙에 따라 빈칸에 들어갈 그림에 ○표 하세요.

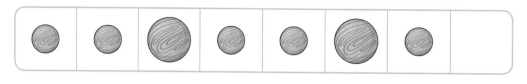

2 규칙에 따라 빈칸에 알맞은 모양을 그려 보세요.

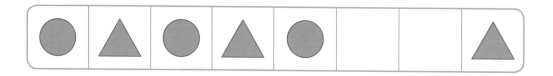

3 규칙에 따라 빈칸에 알맞은 모양을 그려 보세요.

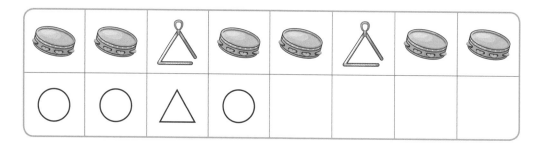

4 규칙에 따라 빈칸에 알맞은 무늬를 그리고, 색칠해 보세요.

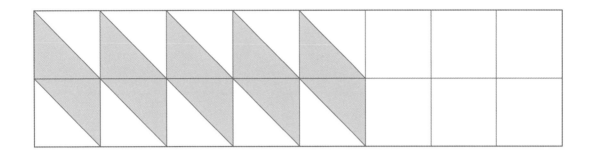

5 규칙을 바르게 말한 것에 ○표 하세요.

흰색과 검은색 바둑돌이 l개씩 반복됩니다. ⎯⎯⎯⎯⎯ (   )

흰색, 검은색, 흰색 바둑돌이 반복됩니다. ⎯⎯⎯⎯⎯ (   )

6 규칙에 따라 단추를 늘어놓습니다. l0번째에 놓이는 단추에 ○표 하세요.

 ......

memo

하루 한 장 60일 집중 완성

교과도형 정답

초1

A3

규칙 찾기

측정 measurement

표현 expression

감각 sense

정답

A3
규칙 찾기

1주차 모양 규칙

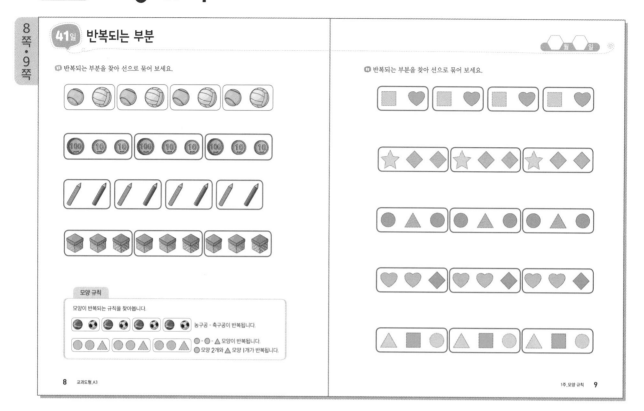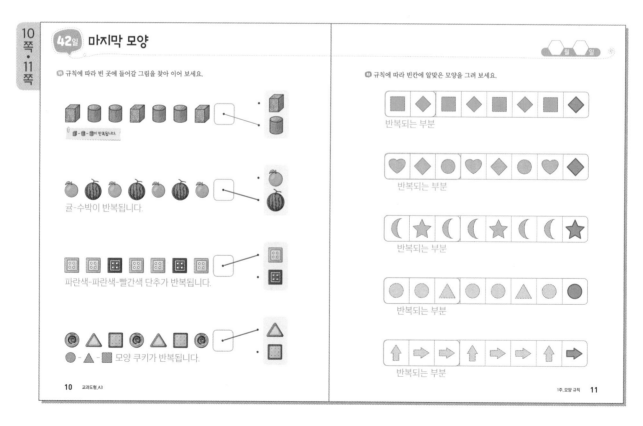

43일 규칙 완성하기

⑪ 규칙에 따라 알맞게 이어 보세요.

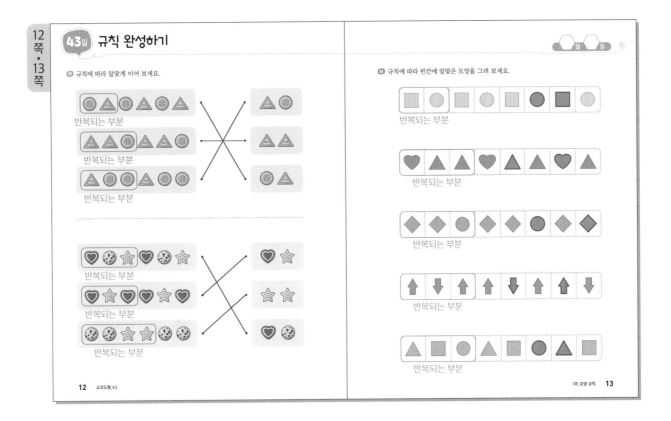

⑫ 규칙에 따라 빈칸에 알맞은 모양을 그려 보세요.

44일 규칙 미로

⑪ 주어진 모양이 반복되도록 미로를 빠져나가 보세요.

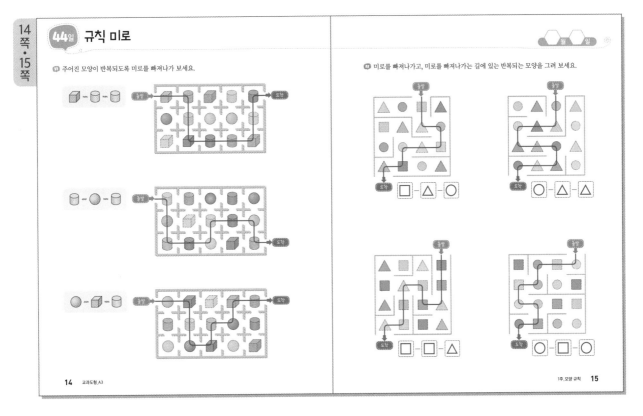

⑫ 미로를 빠져나가고, 미로를 빠져나가는 길에 있는 반복되는 모양을 그려 보세요.

정답

45일 규칙 말하기

① 빈칸에 알맞은 말을 써넣으세요.

⬤ 야구공 ⬤ 축구공

야구공 – 축구공 이 반복됩니다.

🐻 곰 🐧 펭귄

곰 – 곰 – 펭귄 이 반복됩니다.

🌳 나무 🏠 집

나무 – 집 – 나무 가 반복됩니다.

16 교과도형_A3

② 빈칸에 알맞은 수를 써넣으세요.

파란색 컵 2 개와 연두색 컵 1 개가 반복됩니다.

농구공 1 개와 배구공 2 개가 반복됩니다.

🟫 모양 2 개와 ⬤ 모양 2 개가 반복됩니다.

1주_모양 규칙 17

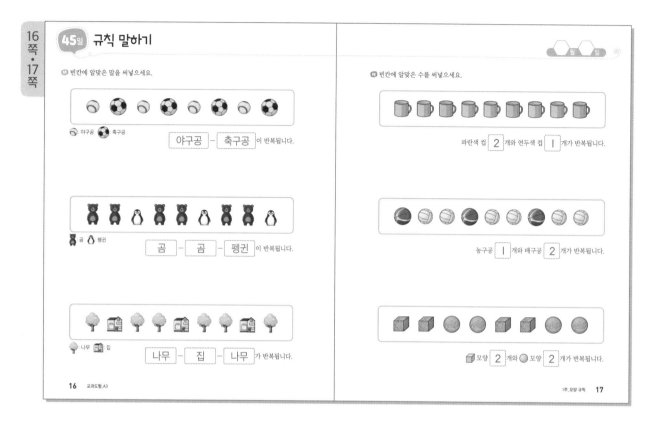

③ 규칙을 찾아 써 보세요.

🥒 : 오이 🥕 : 당근

규칙 오이 – 당근 – 당근이 반복됩니다.

또는 오이 1개와 당근 2개가 반복됩니다.

🍎 사과 🍉 수박

규칙 사과 – 수박이 반복됩니다.

또는 사과 1개와 수박 1개가 반복됩니다.

🖍 풀 ▭ 지우개

규칙 풀 – 풀 – 지우개가 반복됩니다.

또는 풀 2개와 지우개 1개가 반복됩니다.

18 교과도형_A3

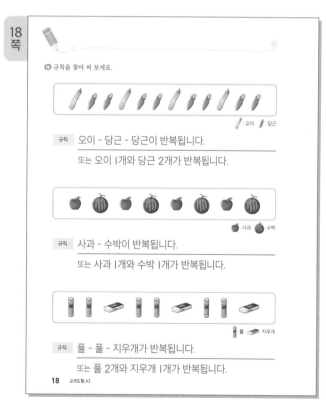

20쪽 · 21쪽

① 반복되는 부분을 찾아 선으로 묶어 보세요.

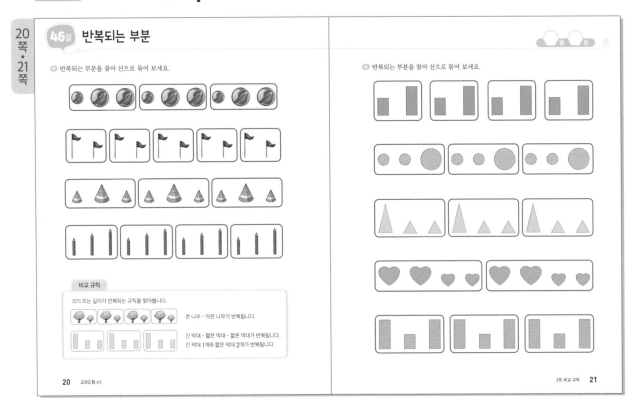

비교 규칙

크기 또는 길이가 반복되는 규칙을 찾아봅니다.

큰 나무 - 작은 나무가 반복됩니다.

긴 막대 - 짧은 막대 - 짧은 막대가 반복됩니다.
긴 막대 1개와 짧은 막대 2개가 반복됩니다.

① 반복되는 부분을 찾아 선으로 묶어 보세요.

22쪽 · 23쪽

① 규칙에 따라 빈 곳에 들어갈 그림을 찾아 이어 보세요.

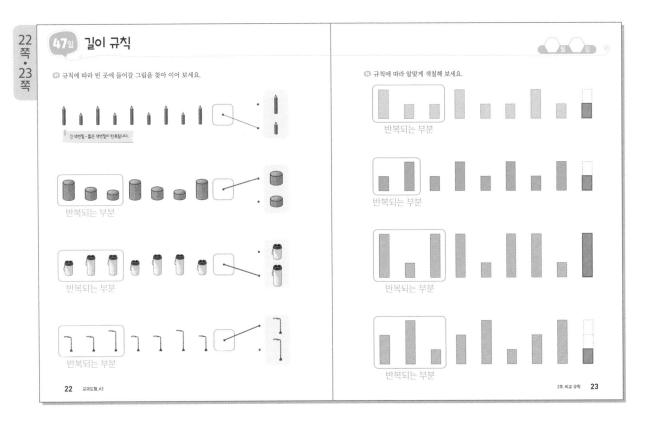

긴 색연필 - 짧은 색연필이 반복됩니다.

반복되는 부분

반복되는 부분

반복되는 부분

① 규칙에 따라 알맞게 색칠해 보세요.

반복되는 부분

반복되는 부분

반복되는 부분

반복되는 부분

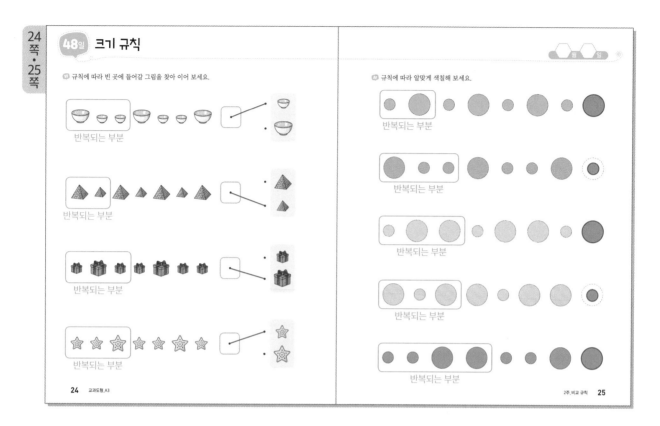

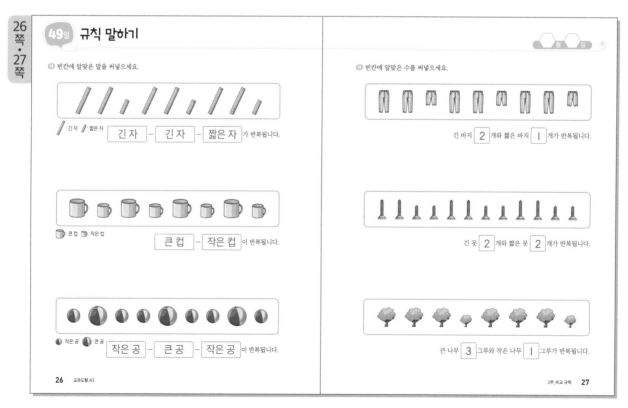

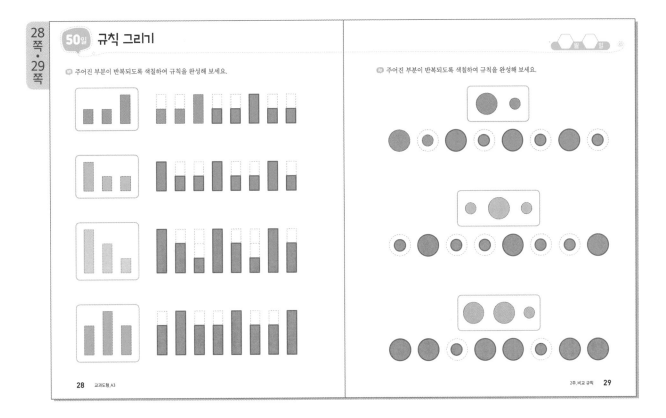

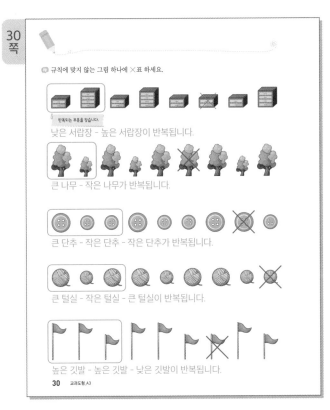

50일 규칙 그리기

주어진 부분이 반복되도록 색칠하여 규칙을 완성해 보세요.

주어진 부분이 반복되도록 색칠하여 규칙을 완성해 보세요.

규칙에 맞지 않는 그림 하나에 ✕표 하세요.

반복되는 부분을 찾습니다.

낮은 서랍장 - 높은 서랍장이 반복됩니다.

큰 나무 - 작은 나무가 반복됩니다.

큰 단추 - 작은 단추 - 작은 단추가 반복됩니다.

큰 털실 - 작은 털실 - 큰 털실이 반복됩니다.

높은 깃발 - 높은 깃발 - 낮은 깃발이 반복됩니다.

3주차 규칙 나타내기

51일 모양으로 나타내기

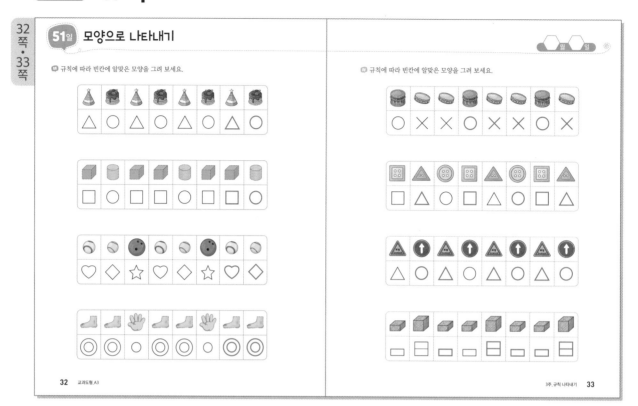

52일 수로 나타내기

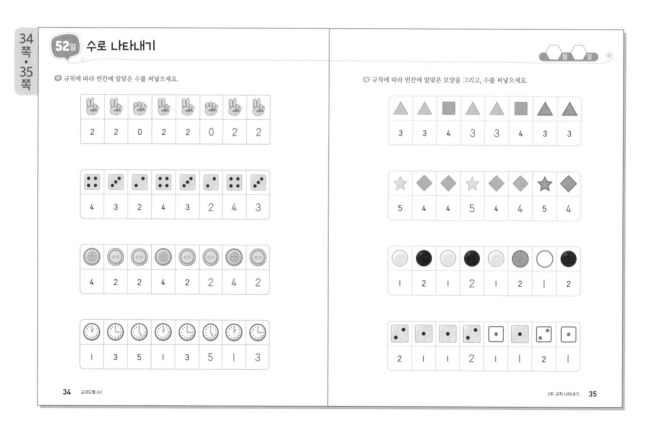

53일 여러 가지 규칙 (1)

🔵 규칙에 따라 빈 곳에 시곗바늘을 그려 보세요.

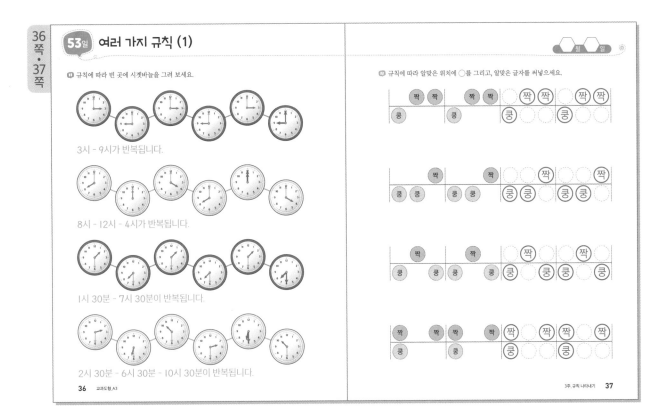

3시 - 9시가 반복됩니다.

8시 - 12시 - 4시가 반복됩니다.

1시 30분 - 7시 30분이 반복됩니다.

2시 30분 - 6시 30분 - 10시 30분이 반복됩니다.

🔵 규칙에 따라 알맞은 위치에 ○를 그리고, 알맞은 글자를 써넣으세요.

54일 여러 가지 규칙 (2)

🔵 물음에 답하세요.

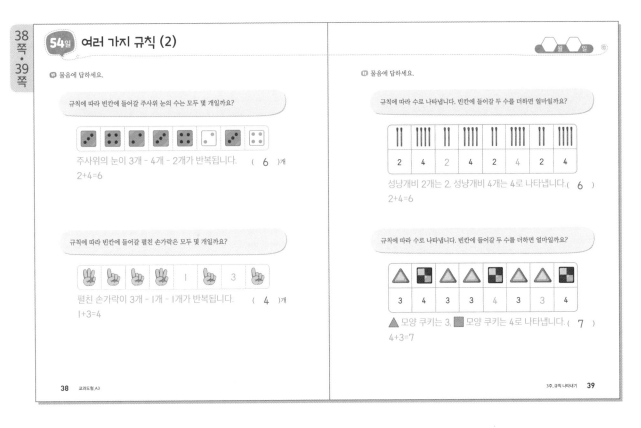

규칙에 따라 빈칸에 들어갈 주사위 눈의 수는 모두 몇 개일까요?

주사위의 눈이 3개 - 4개 - 2개가 반복됩니다. (6)개
2+4=6

규칙에 따라 빈칸에 들어갈 펼친 손가락은 모두 몇 개일까요?

펼친 손가락이 3개 - 1개 - 1개가 반복됩니다. (4)개
1+3=4

🔵 물음에 답하세요.

규칙에 따라 수로 나타냅니다. 빈칸에 들어갈 두 수를 더하면 얼마일까요?

| 2 | 4 | 2 | 4 | 2 | 4 | 2 | 4 |

성냥개비 2개는 2, 성냥개비 4개는 4로 나타냅니다.(6)
2+4=6

규칙에 따라 수로 나타냅니다. 빈칸에 들어갈 두 수를 더하면 얼마일까요?

| 3 | 4 | 3 | 4 | 3 | 4 | 3 | 4 |

▲ 모양 쿠키는 3, ■ 모양 쿠키는 4로 나타냅니다. (7)
4+3=7

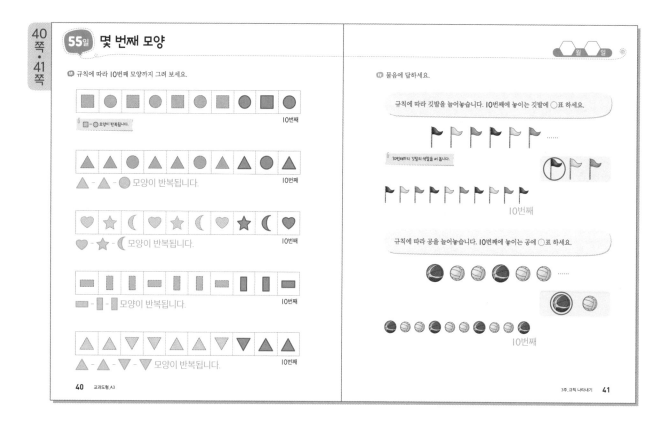

55일 몇 번째 모양

40쪽·41쪽

⑤ 규칙에 따라 10번째 모양까지 그려 보세요.

□ - ○ 모양이 반복됩니다.
10번째

△ - △ - ○ 모양이 반복됩니다.
10번째

♥ - ★ - ☽ 모양이 반복됩니다.
10번째

▬ - ▮ - ▮ 모양이 반복됩니다.
10번째

△ - △ - ▽ 모양이 반복됩니다.
10번째

⑥ 물음에 답하세요.

규칙에 따라 깃발을 늘어놓습니다. 10번째에 놓이는 깃발에 ○표 하세요.

10번째까지 깃발의 색깔을 써 봅니다.

10번째

규칙에 따라 공을 늘어놓습니다. 10번째에 놓이는 공에 ○표 하세요.

10번째

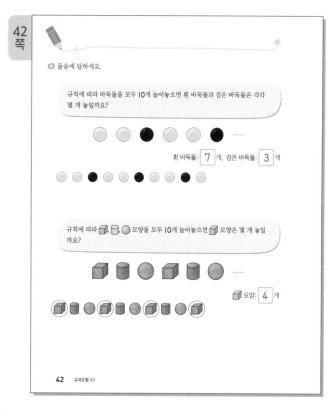

42쪽

⑰ 물음에 답하세요.

규칙에 따라 바둑돌을 모두 10개 늘어놓으면 흰 바둑돌과 검은 바둑돌은 각각 몇 개 놓일까요?

흰 바둑돌: 7 개, 검은 바둑돌: 3 개

규칙에 따라 🔳🔵 모양을 모두 10개 늘어놓으면 🔳 모양은 몇 개 놓일까요?

🔳 모양: 4 개

무늬 규칙

44
쪽·45
쪽

56일 점 잇기

규칙에 따라 점을 이어 보세요.

규칙에 따라 점을 이어 보세요.

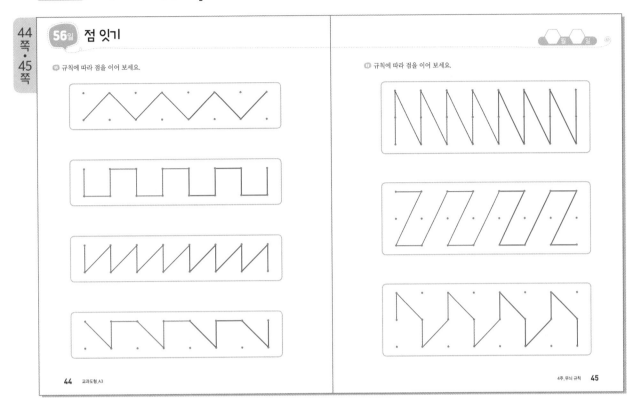

44 교과도형_A3

4주_무늬 규칙 45

46
쪽·47
쪽

57일 선 긋기

규칙에 따라 선을 그어 보세요.

규칙에 따라 선을 그어 보세요.

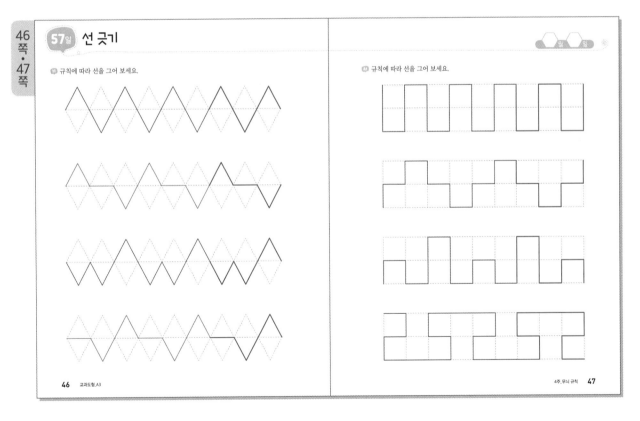

46 교과도형_A3

4주_무늬 규칙 47

정답

58일 **색깔 무늬 규칙**

① 규칙에 따라 알맞은 색깔을 칠해 보세요.

① 규칙에 따라 알맞은 색깔을 칠해 보세요.

정태 풀과 둘째 줄 모두 노란색 – 초록색이 반복됩니다.

59일 **모양 무늬 규칙**

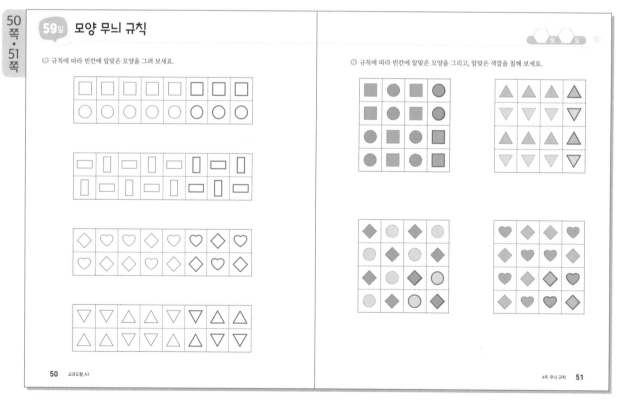

① 규칙에 따라 빈칸에 알맞은 모양을 그려 보세요.

② 규칙에 따라 빈칸에 알맞은 모양을 그리고, 알맞은 색깔을 칠해 보세요.

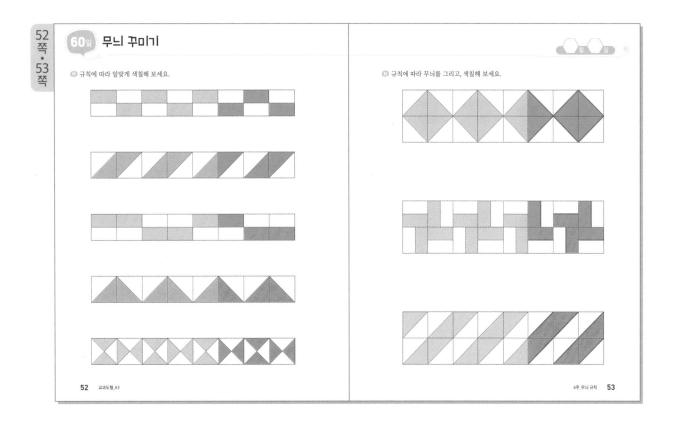

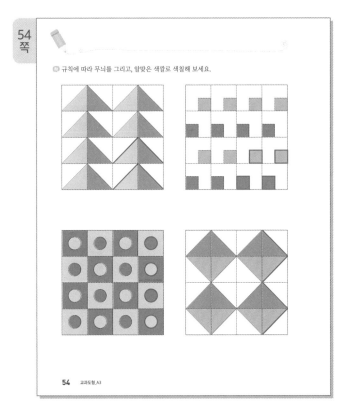

정답

도형플러스+ 증감 규칙

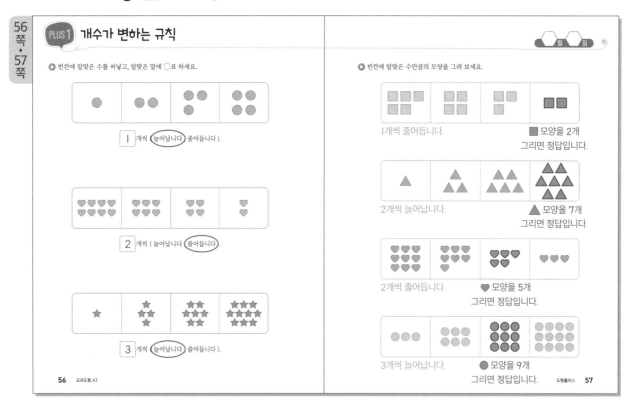

PLUS 1 개수가 변하는 규칙

○ 빈칸에 알맞은 수를 써넣고, 알맞은 말에 ○표 하세요.

1 개씩 (늘어납니다 줄어듭니다).

2 개씩 (늘어납니다 줄어듭니다).

3 개씩 (늘어납니다 줄어듭니다).

○ 빈칸에 알맞은 수만큼의 모양을 그려 보세요.

1개씩 줄어듭니다.　■ 모양을 2개 그리면 정답입니다.

2개씩 늘어납니다.　▲ 모양을 7개 그리면 정답입니다.

2개씩 줄어듭니다.　♥ 모양을 5개 그리면 정답입니다.

3개씩 늘어납니다.　● 모양을 9개 그리면 정답입니다.

56　교과도형_A3

도형플러스　57

PLUS 2 모양이 커지는 규칙

○ 규칙에 따라 빈 곳에 알맞은 모양을 그려 보세요.

위로 1개씩 늘어납니다.
(또는 아래로 1개씩 늘어납니다.)

옆으로 1줄(2개)씩 늘어납니다.

위와 오른쪽으로 각각 1개씩 늘어납니다.

왼쪽과 오른쪽 ■ 모양 위로 각각 1개씩 늘어납니다.
모눈에 그리는 모양의 위치는 달라도 됩니다.

○ 규칙에 따라 빈 곳에 알맞은 모양을 그려 보세요.

옆으로 2개씩 늘어납니다.

위는 왼쪽으로, 아래는 오른쪽으로 각각 1개씩 늘어납니다.

왼쪽, 오른쪽, 아래로 각각 1개씩 늘어납니다.

위에서부터 차례로 1개, 3개, 5개……씩 늘어납니다.
모눈에 그리는 모양의 위치는 달라도 됩니다.

58　교과도형_A3

도형플러스　59

14　교과도형_A3

PLUS 3 바둑돌 규칙

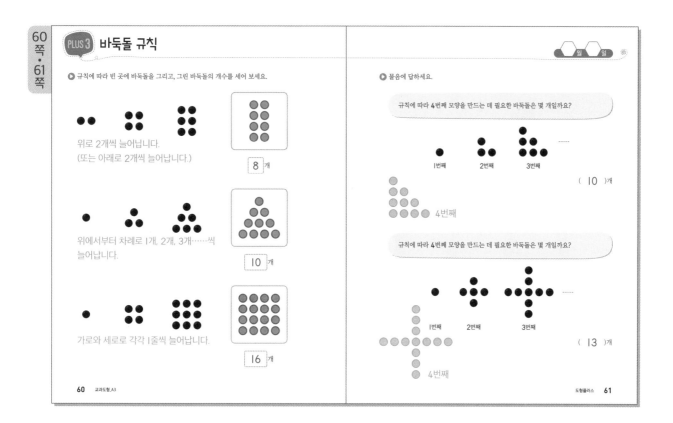

◉ 규칙에 따라 빈 곳에 바둑돌을 그리고, 그린 바둑돌의 개수를 세어 보세요.

위로 2개씩 늘어납니다.
(또는 아래로 2개씩 늘어납니다.)

8 개

위에서부터 차례로 1개, 2개, 3개……씩 늘어납니다.

10 개

가로와 세로로 각각 1줄씩 늘어납니다.

16 개

◉ 물음에 답하세요.

규칙에 따라 4번째 모양을 만드는 데 필요한 바둑돌은 몇 개일까요?

1번째   2번째   3번째   ……

4번째   (10)개

규칙에 따라 4번째 모양을 만드는 데 필요한 바둑돌은 몇 개일까요?

1번째   2번째   3번째   ……

4번째   (13)개

60   교과도형_A3

도형플러스   61

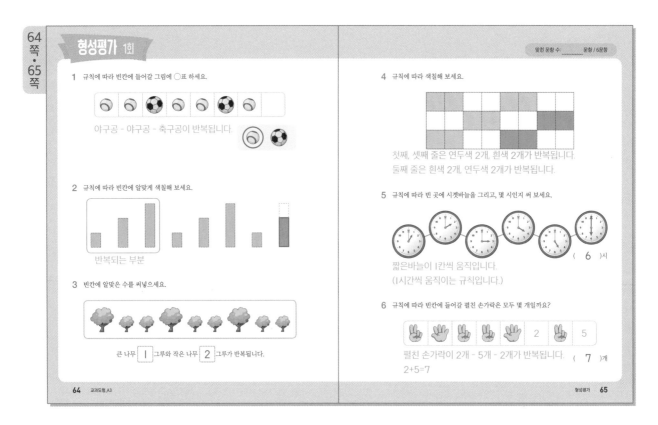

형성평가 1회

맞힌 문항 수 : _____ 문항 / 6문항

1 규칙에 따라 빈칸에 들어갈 그림에 ○표 하세요.

아구공 - 아구공 - 축구공이 반복됩니다.

2 규칙에 따라 빈칸에 알맞게 색칠해 보세요.

반복되는 부분

3 빈칸에 알맞은 수를 써넣으세요.

큰 나무 1 그루와 작은 나무 2 그루가 반복됩니다.

4 규칙에 따라 색칠해 보세요.

첫째, 셋째 줄은 연두색 2개, 흰색 2개가 반복됩니다.
둘째 줄은 흰색 2개, 연두색 2개가 반복됩니다.

5 규칙에 따라 빈 곳에 시곗바늘을 그리고, 몇 시인지 써 보세요.

짧은바늘이 1칸씩 움직입니다.   (6)시
(1시간씩 움직이는 규칙입니다.)

6 규칙에 따라 빈칸에 들어갈 펼친 손가락은 모두 몇 개일까요?

| | | | | | 2 | | 5 |

펼친 손가락이 2개 - 5개 - 2개가 반복됩니다.   (7)개
2+5=7

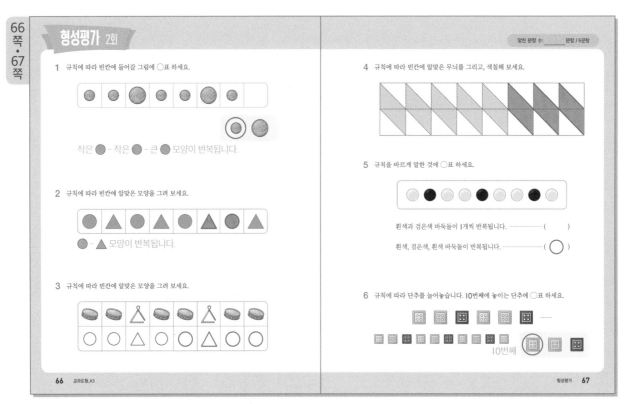

형성평가 2회

맞힌 문항 수 : _____ 문항 / 6문항

1 규칙에 따라 빈칸에 들어갈 그림에 ○표 하세요.

작은 ● - 작은 ● - 큰 ● 모양이 반복됩니다.

2 규칙에 따라 빈칸에 알맞은 모양을 그려 보세요.

● - ▲ 모양이 반복됩니다.

3 규칙에 따라 빈칸에 알맞은 모양을 그려 보세요.

4 규칙에 따라 빈칸에 알맞은 무늬를 그리고, 색칠해 보세요.

5 규칙을 바르게 말한 것에 ○표 하세요.

흰색과 검은색 바둑돌이 1개씩 반복됩니다. ———— (   )

흰색, 검은색, 흰색 바둑돌이 반복됩니다. ———— (○)

6 규칙에 따라 단추를 늘어놓습니다. 10번째에 놓이는 단추에 ○표 하세요.

10번째

"한 권이면 충분합니다."

도형을 다양한 문장과 그림,
수식으로 표현합니다.

감각
sense

표현
expression

측정
measurement

도형 학습의 바탕이 되는
공간감각을 길러줍니다.

측정을 더하여
도형 학습을 완성합니다.